Atlas

Esquemático

do

Trauma Raquimedular

Guia Ilustrado

VERSÃO DE BOLSO

Atlas Esquemático do Trauma Raquimedular

Guia Ilustrado

Francisco E. P. Doutel de Andrade
Ronaldo Gonçalves de Azevedo
Armando da Glória Junior

Serviço de Neurocirurgia
Hospital Municipal Salgado Filho
Rio de Janeiro – RJ
Brasil.

2013

Primeira Edição
Quinta Impressão

VERSÃO DE BOLSO

© 2013. Todos direitos reservados.
Francisco E. P. Doutel de Andrade
Rua Arquias Cordeiro nº 370 - 7º Andar
Serviço de Neurocirurgia
Engenho Novo – CEP 20770-000
Rio de Janeiro – RJ – Brasil.
+55-21-31114262

Lulu Enterprises, Inc.
www.lulu.com
3101 Hillsborough St.
Raleigh, N.C. 27607 – USA.

ID: 12689652
ISBN: 978-1-105-58892-1

Direitos autorais definidos pelas leis internacionais vigentes, pelos termos definidos pela Lulu Enterprises, Inc., com as respectivas restrições pertinentes.

A553a	Andrade, Francisco E. P. Doutel de.
	   Atlas esquemático do trauma raquimedular / Francisco E. P. Doutel de Andrade, Ronaldo Gonçalves de Azevedo, Armando da Glória Junior. – Carolina do Norte, EUA: Lulu Enterprises, Inc,, 2013.
	   76 f. ; il. color. : 15 cm.
	
	   Edição de bolso
	   Bibliografia: 1974-2007
	   ISBN 978-11-0546-028-9
	
	   1. Neurocirurgia. 2. Coluna vertebral. 3. Trauma raquimedular. I. Título. II. Azevedo, Ronaldo Gonçalves de. III. Glória Junior, Armando.
	
	                                    CDD 617.482

Ficha elaborada por Adriana Ornellas CRB-7 6053

Para Ronaldo e Armando.
Muito mais que colegas.
Saudades em seus amigos.

Colaboradores:
(em ordem alfabética)

Adão Crespo Gonçalves
Clínica Privada. Neurocirurgião especializado em Cirurgia de Coluna.

Armando da Glória Junior, in memoriam
Ex-Chefe do Serviço de Neurocirurgia - Hospital Municipal Salgado Filho – RJ

Carlos Augusto de Andrade Borges
Serviço de Neurocirurgia – Hospital Municipal Salgado Filho – RJ.
Serviço de Neurocirurgia – Hospital Geral do Andaraí – RJ.

Daniel Rodrigues de Oliveira
Ex-Residente
Serviço de Neurocirurgia – Hospital Municipal Salgado Filho – RJ.

Francisco Doutel de Andrade
Serviço de Neurocirurgia – Hospital Municipal Salgado Filho – RJ.

Gustavo Bilate Porto
Ex-Residente
Serviço de Neurocirurgia – Hospital Municipal Salgado Filho – RJ.

Hugo de Souza
Serviço de Neurocirurgia – Hospital Municipal Salgado Filho – RJ

José Álvaro Bastos Pinheiro
Chefe do Serviço de Neurocirurgia - Hospital Municipal Salgado Filho – RJ.
Serviço de Neurocirurgia – Hospital Universitário Gafree-Guinlo – RJ.

José Carlos M. V. de Souza
Serviço de Neurocirurgia – Hospital Municipal Salgado Filho – RJ.

Jean Claude Bonfim
Ex-Residente
Serviço de Neurocirurgia – Hospital Municipal Salgado Filho – RJ.

José Renato Ludolf Paixão
Ex-Chefe do Serviço de Neurocirurgia
Hospital Municipal Salgado Filho – RJ.

Mariana da Silva
Ex-Residente
Serviço de Neurocirurgia – Hospital Municipal Salgado Filho – RJ

Pedro Pianca Neto
Ex-Residente
Serviço de Neurocirurgia – Hospital Municipal Salgado Filho – RJ.

Rodrigo Octavio Monteiro Valle
Serviço de Neurocirurgia – Hospital Municipal Salgado Filho – RJ.

Ronaldo Gonçalves de Azevedo, in memoriam
Serviço de Neurocirurgia – Hospital Municipal Salgado Filho – RJ.
Serviço de Neurocirurgia – Hospital Geral do Andaraí – RJ.

Vicente Ferraz Temponi
Serviço de Neurocirurgia – Hospital dos Servidores do Estado – RJ.

Prefácio

Este livro não tem a pretensão de ser um atlas completo e muito menos um livro que esgotasse o tema em questão.

Pretende, na verdade, ser um Guia Ilustrado, prático e conciso, que facilite a consulta, identificação e memorização dos tipos de fraturas e/ou luxações da coluna vertebral.

Para tanto, seguiu-se o sentido descendente, à partir da junção côndilo-cervical, até o sacro-cóccix.

É fruto do trabalho diário e da coletânea revista e remodelada das apresentações feitas pelos membros integrantes do Serviço de Neurocirurgia do Hospital Municipal Salgado Filho, RJ, Brasil.

Estas apresentações variaram de temas-livres, artigos e monografias, que motivaram a organização e extensão mais abrangente, para gerar o resultado final aqui apresentado.

Destina-se principalmente aos Residentes, porém estende-se sua utilidade para a pratica diária, para a rápida e fácil consulta, em prol de uma uniformização de descrição ser feita, dentro de uma maior aceitação corrente de seus termos e tipos considerados, pela literatura pertinente, atualizada.

Acompanhando as ilustrações, encontram-se os textos sinópticos, que objetivam complementar e descrever as lesões apresentadas.

Enfatizamos mais a imagem, a gravura, o desenho, fundamentas para um melhor entendimento, onde as palavras apenas se somam, partindo-se da premissa que uma imagem vale mais que mil palavras, fugindo-se do pecado de descrever sem mostrar, para não depender da imaginação do leitor.

Nota-se ainda existirem muitas classificações e este pleomorfismo torna difícil a uniformidade e a compreensão, longe se estando ainda de uma linguagem universal.

No entanto, nos últimos dez anos, a tendência em adotar autores consagrados, mormente ligados ao AO – "Arbeitsgemeinschaft für Osteosynthesefragen" ("Grupo de Trabalho para Questões sobre Osteosíntese"), – tem propiciado uma progressiva e feliz padronização na classificação, baseada na biomecânica e fisiopatologia.

Inicialmente foi direcionado o estudo AO para o segmento tóraco-lombar, porém já encontramos uma extensão para o segmento cervical sub-axial (C3-C7), bem como sacrococcígeo, este último derivado da sistematização das lesões do anel pélvico.

Enfim, apresentados os propósitos, modestos mas sinceros, vamos em seguida ao conteúdo em si.

Esperando que se suprido for o proposto, a missão estará cumprida, tendo válido o esforço.

SUMÁRIO

Página

1. Fraturas Côndilo-Cervicais Superiores...............13

2. Fraturas Cervicais Subaxiais.................................28

3. Fraturas da Coluna Tóraco-Lombar.....................36

4. Fraturas do Sacro..57

5. Fraturas do Cóccix..65

6. Referências Bibliográficas....................................70

1. Fraturas Côndilo-Cervicais Superiores

Compreendem as lesões traumáticas do segmento compreendido entre os côndilos do osso occipital, à cada lado do forame magno, que se articulam com as facetas superiores das massas laterais de C1 (atlas).até C2, - axis ou epistrofeu. Assim sendo, é o segmento côndilo-axial

Alguns autores colocam neste grupo também C3, mas a maioria consultada opta por considerar o segmento seguinte como sendo de C3 a C7 e não apenas C4 a C7, o que nos fornece o nome de segmento sub-axial, aquele abaixo do axis.

São seis as principais lesões observadas:

1.1. Deslocamento Côndilo-Atlantal (CO-C1)
1.2. Fraturas do Côndilo Occipital
1.3. Deslocamento Atlanto-Axial (C1-C2)
1.4. Fraturas do Atlas (C1)
1.5. Fraturas do Processo Odontóide (C2O)
1.6. Fratura do Enforcado.

1.1. Deslocamento Côndilo-Atlantal

Há a perda parcial ou total, da relação articular, entre os côndilos occipitais com a faceta superior das massas laterais da primeira vértebra cervical.

Com vetor de força anteroposterior, ou póstero-anterior, com tracionamento do crânio versus a coluna cervical, pode ser anterior, posterior ou simplesmente longitudinal (vertical) (Figura 1.1).

A variação vai depender do vetor da força causal, da força do trauma e da resistência músculo-ligamentar.

Em geral o tratamento é feito com tração cervical e halo por três meses. Mas se demonstrar instabilidade, é feita a cirurgia com a fixação occipito-cervical por via posterior.

1.2. Fraturas do Côndilo Occipital (FCO)

Dividem-se em três principais tipos (Figura 1.2):

        1.2.1.   Fratura Cominutiva do CO.
        1.2.2.   Fratura Côndilo-Basilar.
        1.2.3.   Avulsão do CO.

1.2.1. Fratura Cominutiva do CO

Decorrente de grave impacto vetorial longitudinal, transmitido pelo eixo vertical, pode ser encontrado associado à fratura de calcâneos, em queda em pé, em geral em suicidas. Estável, em geral é tratada com colar cervical rígido, tipo Filadélfia, quando não assume a gravidade maior dos subtipos seguintes.

1.2.2. Fratura Côndilo-Basilar

Neste subtipo, na verdade é uma fratura da base occipital que se estende ao côndilo, decorrente de trauma occipital, frequente em quedas ou agressões. Como a precedente, ainda passível de tratamento conservador. Sendo estável, imobiliza-se com colar Filadélfia.

1.2.3. Avulsão do CO

Lesão mais grave, implica na separação do CO, do osso occipital, que permanece unido ao atlas pela articulação, fixo pelo ligamento alar, causando deslocamento, rotação da cabeça. É instável e requer o uso do halovest.

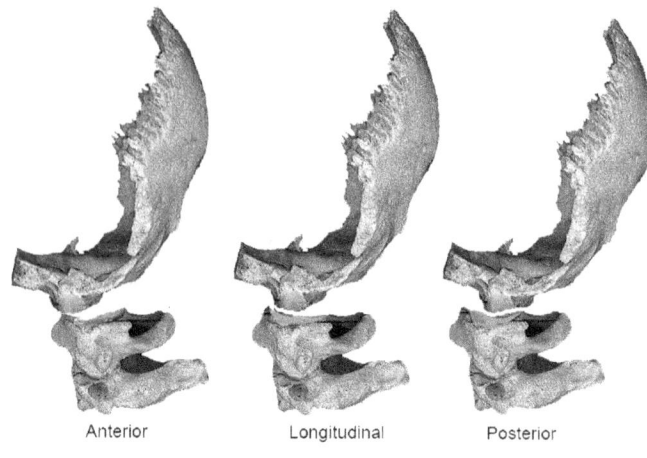

Figura 1.1. Deslocamento Côndilo-Atlantal.

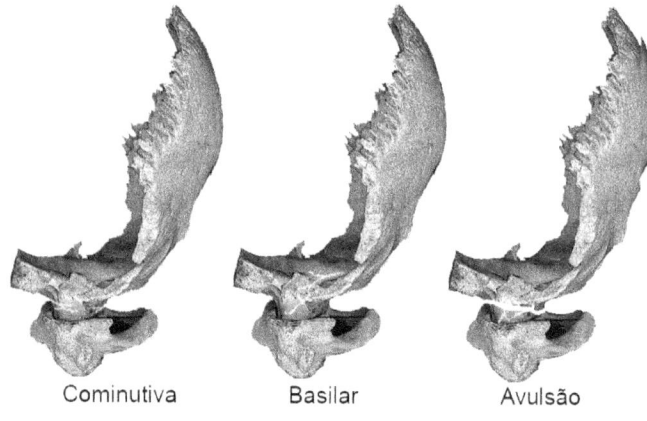

Figura 1.2. Fraturas do Côndilo Occipital

1.3. Deslocamento Atlanto-Axial (C1-C2)

Consistem nas lesões articulares do atlas (C1) sobre o axis (C2).

Podem ser divididas em dois subtipos principais (Figura 1.3), em ambos observando-se subluxação:

    1.3.1.   Rotação do Atlas

    1.3.2.   Deslocamento Anterior do Atlas

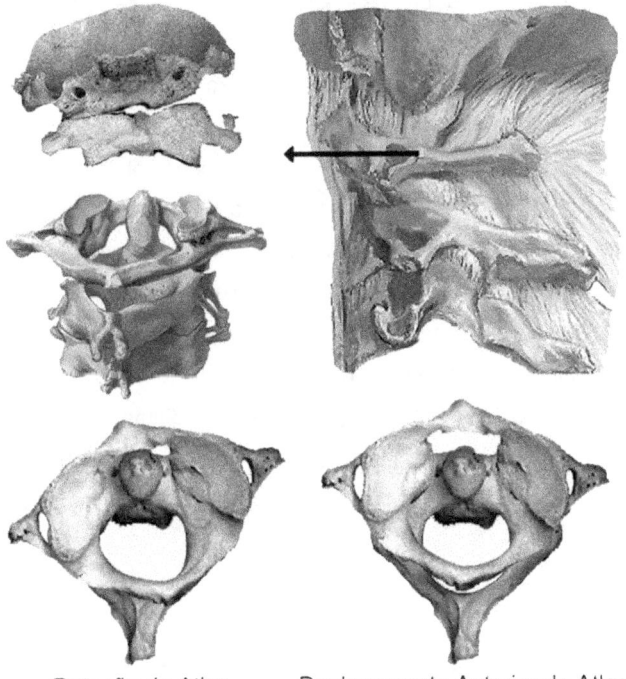

Rotação do Atlas   Deslocamento Anterior do Atlas

Figura 1.3. Deslocamento Atlanto-Axial.

1.3.1. Rotação do Atlas (C1)

Entre as causas possíveis incluem-se mio relaxantes, (anestesia geral) com postura viciosa, inflamações retro-faríngeas e cervicais (Síndrome de Grisel), destacando-se os acidentes de trânsito, sem cinto de segurança e/ou sem apoio occipital nos assentos.

A rotação do atlas é mais frequente na infância e adolescência, quando os ligamentos são mais flexíveis.

A rotação é tolerável até 30°. À partir deste valor há a compressão e o prejuízo de fluxo da artéria vertebral contralateral, pela angulação decorrente da rotação. Atingindo 45° de rotação, há a interrupção total de fluxo, acompanhando-se de progressivo quadro neurológico, decorrente da compressão radicular e medular.

A preservação do ligamento transverso é o determinante de não haver a maior angulação rotacional. Sua integridade define a estabilidade dinâmica da lesão.

O tratamento em geral é feito mediante suave tração e imobilização. A cirurgia fica restrita àqueles casos de instabilidade ou recorrência, com lesão ligamentar e maior rotação

1.3.2. Deslocamento Anterior do Atlas (C1)

Os dois fatores mais importantes para que esta lesão permaneça estável são:

- a integridade do ligamento transverso do atlas, reforçado pelos ligamento alar e o acessório atlanto-axial;
- manutenção articular atlanto-odontóide.

Quando apenas o ligamento transverso do atlas está comprometido, o deslocamento não atinge 5 mm. Esse valor é ultrapassado quando o ligamento alar também foi comprometido.

Até 5 mm de desvio, o tratamento é conservador, com halo. Acima deste valor, com ≥ 6mm, a fixação posterior está indicada.

1.4. Fraturas do Atlas (C1)

Basicamente causadas por acidente automobilístico, chicote sem cinto e/ou apoio occipital.

Compreende 3 subtipos (Figura 1.4):

1.4.1. Fratura isolada do arco posterior de C1.

1.4.2. Fratura da massa lateral de C1.

1.4.3. Fratura de Jefferson (Explosão de C1).

1.4.1. Fratura isolada do arco posterior.

Um traço de fratura.

Lesão estável

Não requer tratamento cirúrgico

Uso de colar Filadélfia.

1.4.2. Fratura da massa lateral de C1

Consiste em 2 linhas de fratura, uma anterior e outra posterior à massa lateral de C1.

Dor local, discreto desvio da cabeça.

Em geral é estável, pois o ligamento transverso está preservado pelo menos no lado oposto, não atingindo 7 mm de separação entre as massas laterais (radiografia simples trans-oral, TC com reconstrução).

O tratamento é o uso de colar Filadélfia por 3 meses.

1.4.3. Fratura de Jefferson (Explosão de C1)

Ocorre quando C1 é espremido entre C2 e os CO. Consiste em 3 a 4 traços de fratura. É a fratura bilateral do arco posterior de C1 mais a fratura uni ou bilateral do arco anterior, causando a separação e distanciamento das massas laterais.

Representa cerca de 7% das fraturas cervicais.

Em 50% dos casos ocorre de forma isolada e nos outros 50% está associada às fraturas de C2.

A fratura se faz à partir do sulco da artéria vertebral, onde o osso é mais fino.

Em geral é oligossintomática, quanto às manifestações neurológicas, pela preservação do diâmetro do canal, que se amplia em vez de reduzir.

Quando isolada, há uma perda de sustentação, a pessoa sente necessidade de segurar a cabeça, surge saliência na faringe, há disfagia pela compressão do fragmento deslocado.

Pela Regra de Spence, a distância entre as massas laterais apresentar ≥ 7 mm, na radiografia simples trans-oral, significa lesão do ligamento transverso, o qual deve ser suspeitado em qualquer deslocamento da massa lateral de C1. TC e RM aprimoram o estudo e confirmam a lesão, destacando-se a TC com cortes finos e reconstrução em 3-D.

O tratamento varia de acordo com diferentes autores.

A fratura isolada de C1, em geral, é tratada com uso por 3 meses do colar Filadélfia se o deslocamento for até 7mm. Se a distância entre as massas laterais for ≥ 7mm, Sonntag propôs halovest e Spence preconizou cirurgia.

Quando a fratura de Jefferson está associada à fraturas de C2, o tratamento vai depender do tipo de fratura de C2 associado. Se for a fratura do enforcado ou o Tipo I ou III de odontóide, uso de halo vest. Se for o Tipo II de odontóide, com desvio ≥ 6 mm, a fixação occipito-cervical posterior está indicada.

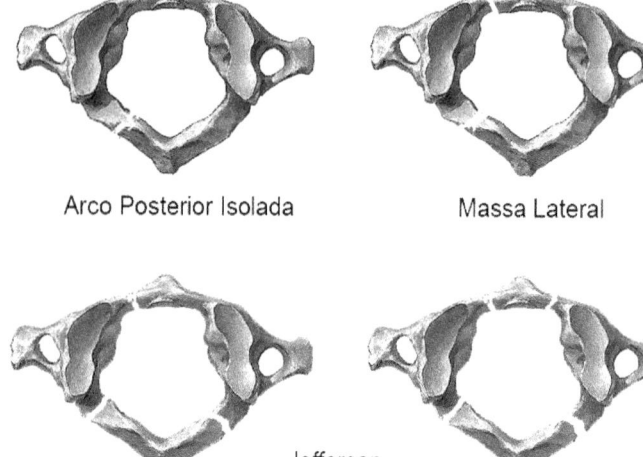

Arco Posterior Isolada   Massa Lateral

Jefferson

Figura 1.4. Fraturas da massa lateral de C1

1.5. Fraturas do Processo Odontóide (C2O)

É a mais frequente das fraturas de C2.

Até os 40 anos de idade está relacionada a acidente de trânsito, acima de 60 anos, queda do próprio nível.

Estima-se que metade dos pacientes possam morrer antes de chegar ao hospital, o que dificulta um estudo perfeito da mortalidade.

Ocorre na proporção de 3 homens para 1 mulher, com idade abaixo de 40 anos.

Nos adultos representa cerca de 10 a 15% das fraturas cervicais. Nas crianças sobe para 75% esse valor.

A associação com fratura de C1 é muito frequente, bem como com trauma de crânio.

Deve ser suspeitada em todos pacientes politraumatizados, principalmente atropelados e motoristas ou caronas sem cinto de segurança.

Decorre de violenta força de flexão, extensão e rotação associadas. Na maioria, pela hiperextensão com deslocamento anterior do odontóide. O deslocamento anterior é mais frequente que o posterior.

O paciente pode apresentar desde dor e rigidez nucal, até déficits neurológicos agudos ou progressivos, tanto pela compressão do canal como pela frequente associação de lesão do tronco cerebral e/ou isquemia pela compressão da artéria vertebral.

Existem 2 principais classificações das fraturas de C2O (Figura 1.5).

A classificação de Anderson & D´Alonzo se refere ao nível da fratura (apical, colo, corpo). A classificação de Roy-Camille enfoca a angulação da fratura (oblíquas anteroinferior, póstero-inferior e horizontal).

Essas classificações são a base para o estudo radiológico (radiografia simples, TC com reconstrução) e a decisão terapêutica.

As fraturas dos tipos I e III são estáveis e não precisam de cirurgia.

As do tipo II e IIa são instáveis, com alto índice de má consolidação e a classificação da angulação é usada para a escolha da técnica cirúrgica a ser empregada. Em geral, via posterior com a técnica de Gallie, amarragem C1-C2 com enxerto, ou suas variantes (Apuzzo, Brooks) para os casos dos tipos horizontal e oblíquo póstero-inferior, sendo possível o parafuso odontóideo, via anterior, para o tipo anteroinferior.

A técnica de Sonntag, parafusos trans-articulares pelas massas laterais, de C2 a C1, uni ou bilateral, é temida pelos riscos de lesão da artéria vertebral e/ou migração do odontóide para a orofaringe.

O acesso trans--oral está indicado como complemento, quando se prevê ou persiste a compressão do canal pelo odontóide.

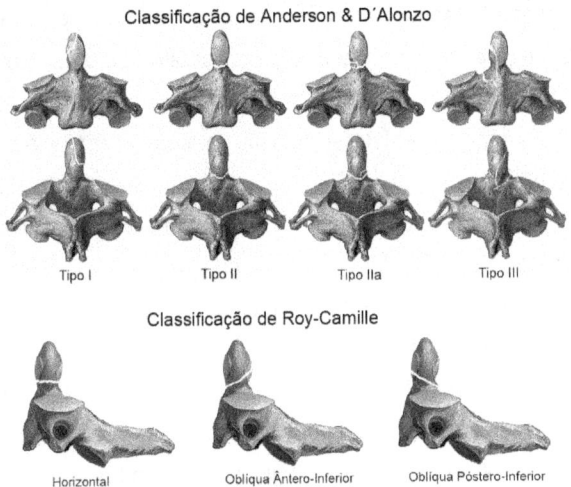

Figura 1.5. Fraturas do Processo Odontóide (C2O)

1.6. Fratura do Enforcado (C2)

É a fratura bilateral do pedículo e/ou massa lateral de C2, com deslocamento (luxação) anterossuperior da metade anterior de C2, que luxada, penetra e comprime acima e para trás, a medula cervical alta e até o bulbo.

Para que isso ocorra, o laço de forca deve estar na posição anterior, mentoniana ou mandibular, com força gravitacional de queda, aplicando o peso do condenado à região. Se o nó da forca estiver auricular ou occipital e/ou com pouca ou nenhuma queda do enforcado, apenas a asfixia será obtida. Por isto, em alguns casos, o carrasco tem que pular à cavaleiro sobre os ombros, para forçar o corpo para baixo, assegurando a tração divergente céfalo-corpórea. Um típico ruído é obtido, satisfazendo os presentes ao evento. A intenção da morte imediata se baseia na lesão medular alta proporcionada.

É a fratura de C2 mais frequente, depois da fratura de Jefferson.

Em geral é bilateral e raramente simétrica, devido à força rotacional, ocorrendo grave lesão, com ruptura dos ligamentos longitudinais anterior e posterior e hérnia de disco C2-C3. A hiperflexão também pode estar presente.

São 4 subtipos morfológicos observados (Figura 1.6).

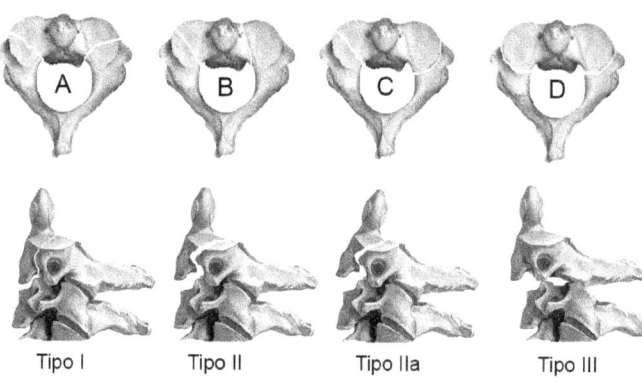

Tipo I   Tipo II   Tipo IIa   Tipo III

Figura 1.6. Fratura do Enforcado (C2)

Os tipos A, B, C e D se referem à posição dos traços de fratura, sendo mais comum o tipo C, seguido do tipo B, A e D, em ordem decrescente.

Os tipos I a III se referem ao vetor de força aplicado, bem como a biomecânica envolvida.

No Tipo I há uma tração axial com extensão. Sendo estável e com até 2 mm de deslocamento de C2 sobre C3.

No Tipo II há uma força de retorno em flexão, além da tração axial e extensão. É instável, com > 2mm de luxação anterior de C2 sobre C3 e/ou $11°$ de angulação, com ruptura do ligamento longitudinal posterior. O Tipo IIa é menos deslocado mas mais angulado que o Tipo II.

No Tipo III há compressão e flexão, uma lesão em flexão pura, com luxação anterior e angulação de C2 sobre C3, havendo ruptura da cápsula articular das facetas C2-C3,

Em geral, quando não causada por enforcamento de fato, sem asfixia e/ou compressão dos vasos cervicais, este tipo de fratura não apresenta grandes sintomas. Em geral dor local, rigidez nucal, ansiedade e neuralgia occipital.

Imobilização por 3 meses, com colar Filadélfia para o Tipo I e halo vest para os demais.

2. Fraturas Cervicais Subaxiais

São as lesões da coluna cervical de C3 a C7, portanto "abaixo do axis", como a definição sub-axial entende.

Diferentes causas podem ser observadas, destacando-se acidentes de carro, queda em água rasa e agressões físicas ou acidentes em lutas marciais.

A melhor abordagem classificatória é aquela adotada por Licina e Nowitzke, baseados em Magerl et al., aplicando a sistematização AO, já consagrada para o segmento tóraco-lombar, porém agora adaptada ao segmento C3-C7.

1. Fraturas em Compressão.
2. Fraturas em Distracionamento.
3. Fraturas em Rotação.

2.1. Fraturas em Compressão – Tipo A

São caracterizadas pela fratura do corpo vertebral (lesão do pilar anterior), sem lesão do pedículo ou arco (pilar posterior), podendo ainda serem subdivididas em outros 3 subtipos:

A.1. Impactação (*crush*) (Figura 2.1)
A.2. Separação (*split*) – sagital ou coronal (Figura 2.2)

A.3. Explosão (*burst*) (Figura 2.3)

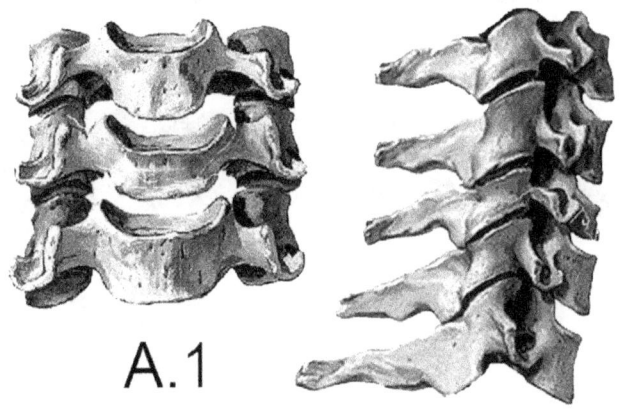

Figura 2.1. Tipo A.1. Compressão. Impactação ("crush")

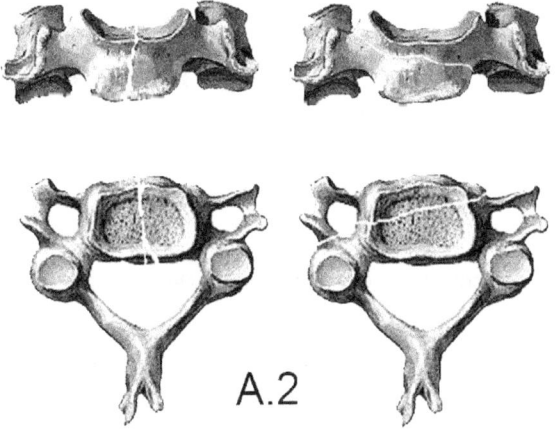

Sagital Coronal

Figura 2.2. Tipo A.2. Compressão. Separação ("split")

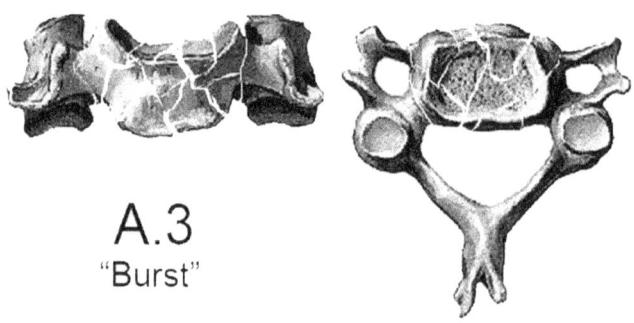

A.3
"Burst"

Figura 2.3. Tipo A.3. Compressão. Explosão ("burst")

2.2. Fraturas em Distracionamento – Tipo B

Disrupção discal, lesão da articulação inter-corpórea (pilar anterior) com ou sem fratura do corpo vertebral e com ou sem lesão do pilar posterior.

B.1. Distracionamento em flexão com lesão ligamentar. (Figura 2.4)

Disco, ligamentos e pilar posterior lesados. Corpo vertebral íntegro.

B.2. Distracionamento em flexão com lesão óssea. (Figura 2.5)

Disco, corpo vertebral e pilar posterior lesados. Ligamentos íntegros.

B3. Distracionamento em extensão. (Figura 2.6)

Lesão discal. Ligamentos, corpo vertebral e pilar posterior íntegros.

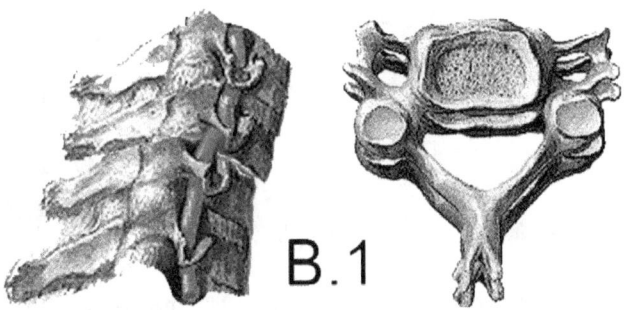

Figura 2.4. Tipo B.1. Distracionamento ligamentar em flexão.

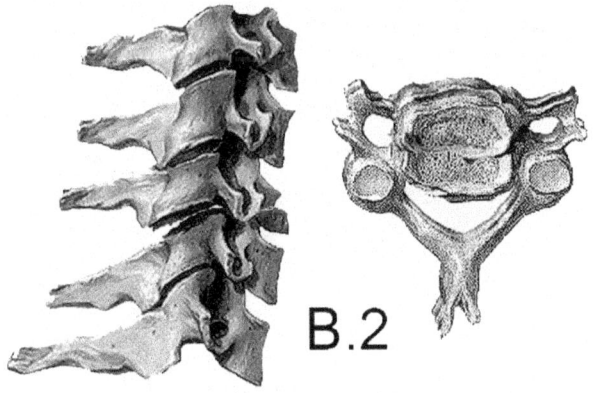

Figura 2.5. Tipo B.2. Distracionamento ósseo em flexão.

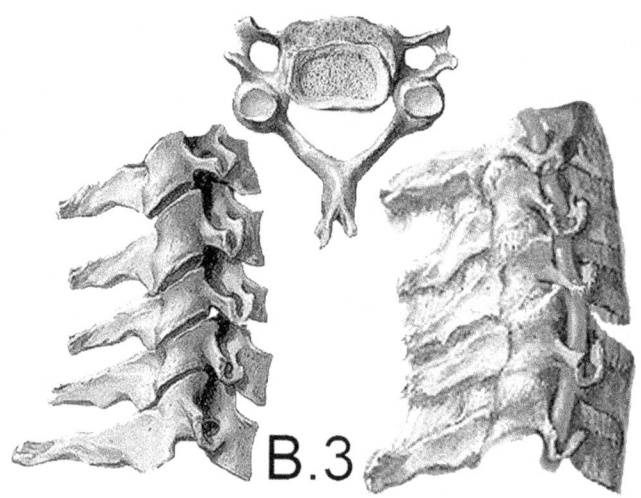

Figura 2.6. Tipo B.3. Distracionamento em extensão.

2.3. Fraturas em Rotação – Tipo C

    C.1. Tipo A + Rotação (Figura 2.7)
    C.2. Tipo B + Rotação (Figura 2.8)
    C.3. Rotação de fragmento (Figura 2.9)

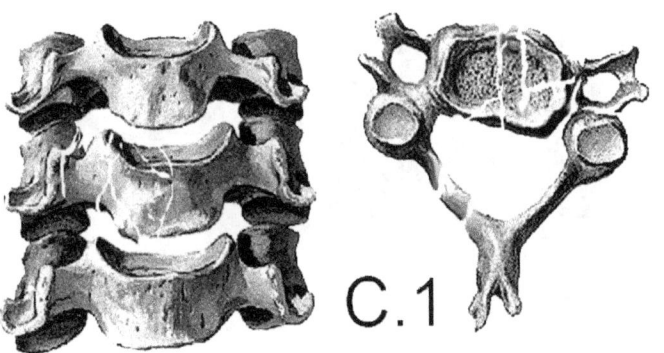

Figura 2.7. Tipo C.1. Tipo A (Compressão) + Rotação.

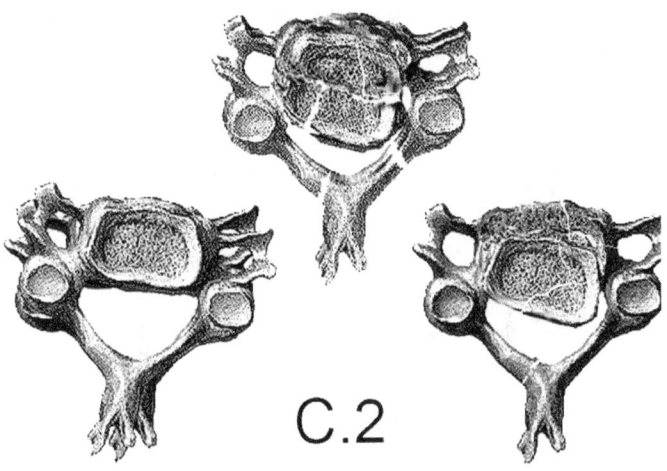

Figura 2.8. Tipo C.2. Tipo B (Distracionamento) + Rotação.

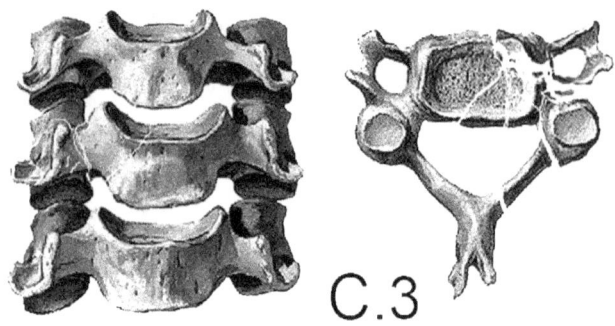

Figura 2.9. Tipo C.3. Rotação segmentar.

2.4. Fratura Menores

Existem ainda os tipos de menor gravidade, as fraturas menores da coluna vertebral, tais como a Fratura da Apófise Espinhosa, e.g. C7 ou T1, em escavadores, pelo vetor de tração muscular (Figura 2.10).

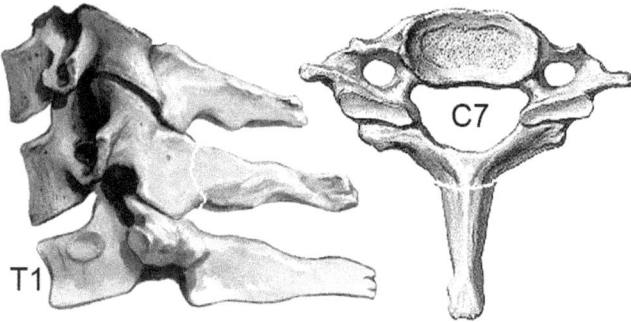

Figura 2.10. Fratura da apófise espinhosa de C7 ("escavador").

O tratamento é conservador apenas para os casos de fraturas menores ou segmentares, sem compressão de raiz e/ou medula, bem como onde não seja óbvia a lesão articular com instabilidade.

De acordo com Rx e TC, determina-se o tipo de lesão e assim é decidida a abordagem cirúrgica, em geral por via anterior, corpectomia e artrodese com prótese autóloga e/ou metálica. A via posterior em geral é empregada de forma complementar à anterior, quando a lesão também atinge o pilar posterior de forma relevante ou é a lesão principal em si, como ocorre nos tipos B.3 e C.2.

3. Fraturas da Coluna Tóraco-Lombar

Como a coluna torácica é fixa e a lombar tem mobilidade, as lesões traumáticas sobre a primeira são basicamente por causas externas sobre a coluna, sem participação postural ou dinâmica, como se observa com a coluna lombar, que possui a capacidade de flexão, extensão e rotação. Enquanto as doenças discais mais ocorrem na coluna lombar baixa, as traumáticas são mais frequentes no segmento superior.

Por estas razões, o principal foco de estudo AO foi justamente o segmento entre T11 e L2, a transição onde mais se observa ocorrerem fraturas e luxações.

A classificação AO é mecanicista e se baseia no fato de que a morfopatologia da lesão indica a força ou o momento aplicado sobre o segmento vertebral.

As três forças básicas que produzem estas lesões são: compressão, distracionamento e rotação. Desse modo a morfologia da fratura permite a determinação da patogênese da lesão. A perda da altura do corpo vertebral está relacionada às forças de compressão, a ruptura anterior ou às forças de distracionamento e os desvios rotacionais à rotação.

Tipo A – Compressão

    A.1. Fraturas impactadas
        A.1.1. - Impactação da placa terminal
        A.1.2. - Encunhamento
        A.1.3. - Colapso do corpo vertebral
    A.2. "Split" (separação)
        A.2.1. Sagital
        A.2.2. Coronal
        A.2.3. Pinça
    A.3. Explosão
        A.3.1. Incompleta
        A.3.2. Explosão-separação
        A.3.3. Completa

Grupo A.1. Fraturas impactadas (Figura 3.1)

    A deformidade do corpo vertebral ocorre devido, principalmente, à compressão do osso esponjoso do corpo vertebral. A coluna posterior está integra e a compressão do canal vertebral não ocorre. Essas lesões são estáveis e a lesão neurológica raramente ocorre.

A.1.1. Impactação da placa terminal

    O corpo vertebral apresenta encunhamento inferior a cinco graus e sua parede posterior está integra.

A.1.2. Fratura encunhamento

A perda da altura do corpo vertebral resulta em angulação maior que cinco graus e a parede posterior do corpo vertebral permanece intacta. A perda da altura do corpo vertebral pode ocorrer na parte superior (encunhamento superior), ântero-lateral (encunhamento lateral) ou inferior (encunhamento inferior).

A.1.3. Colapso do corpo vertebral

Este tipo de lesão é normalmente observada em pacientes com osteoporose e ocorre perda simétrica do corpo vertebral sem extrusão significativa dos fragmentos, de modo que o canal vertebral não é comprimido. O corpo vertebral apresenta aspecto em "espinha de peixe ", nos casos em que esse tipo de fratura está associada a grande impactação da placa terminal.

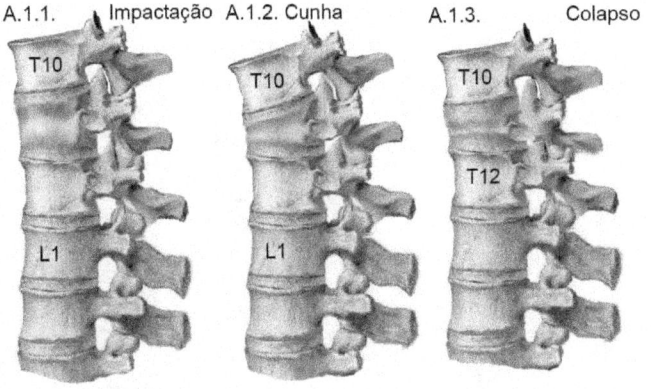

Figura 3.1. Tipo A.1. Fraturas impactantes.

Grupo A.2."Split fractures"(separação) (Figura 3.2)

O corpo vertebral está dividido no plano coronal ou sagital c o fragmento principal apresenta graus variáveis de desvio. Na presença de grande desvio do fragmento principal, a falha pode ser preenchida com material oriundo do disco intervertebral, que pode resultar em não consolidação da fratura. A coluna posterior não está acometida nesse tipo de fratura e a sua associação com o déficit neurológico não é comum.

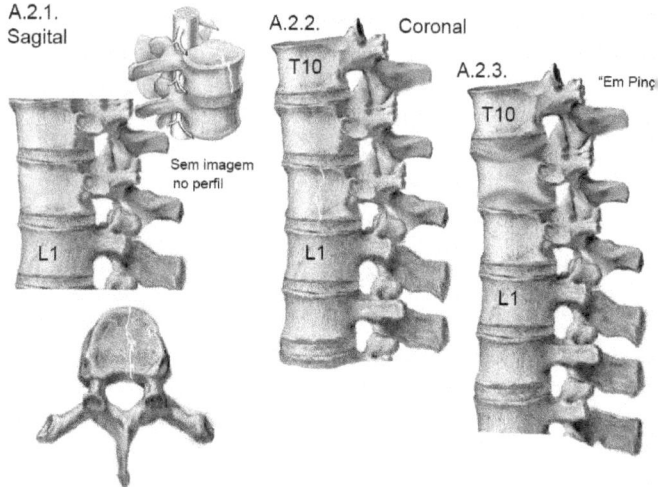

Figura 3.2. Tipo A.2. Fraturas em separação ("split").

Grupo A.3. Fraturas tipo explosão (Figura 3.3)

O corpo vertebral encontra-se parcial ou completamente cominuído, com extrusão centrífuga dos seus fragmentos. Fragmentos da parede posterior estão desviados para o interior do canal e são a causa do déficit neurológico, que é elevado nesse grupo de pacientes e aumenta significativamente dentro de seus subgrupos. O complexo ligamentar posterior encontra-se íntegro, podendo ocorrer fenda vertical através do arco posterior ou processo espinhoso. Essa fenda não apresenta importância do ponto de vista da estabilidade da fratura e, em algumas ocasiões, fibras nervosas extrudem através de lesão da dura-máter e ficam presas nessa tenda.

A.3.1. Explosão incompleta

A parte superior ou inferior do corpo vertebral apresenta cominução, enquanto que a outra parte permanece intacta.

A estabilidade dessas fraturas está reduzida à flexão - compressão, e os fragmentos da parede posterior podem apresentar desvio adicional quando submetidos à essas forças.

A.3.2. Burst-split fracture (Explosão-Separação)

Nesse tipo de fratura uma metade da vértebra (mais frequentemente a superior) apresenta cominução, enquanto que a outra metade está fendida sagitalmente.

Essas fraturas são mais instáveis à flexão-compressão e apresentam maior índice de lesão neurológica que as fraturas tipo explosão incompletas.

A.3.3. Fraturas tipo explosão completa

Todo o corpo vertebral apresenta cominução e essas fraturas são ainda mais estáveis à flexão-compressão, que causam redução adicional da altura do corpo vertebral.

O diâmetro do canal vertebral geralmente se encontra muito reduzido pelos fragmentos da parede posterior do corpo vertebral, e o índice de lesões neurológicas é elevado.

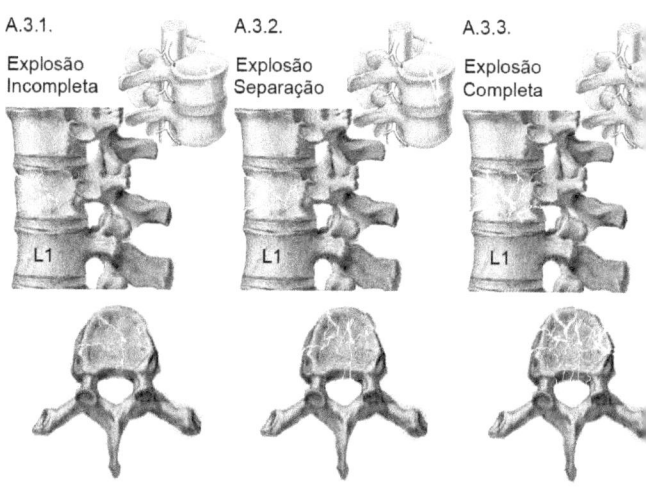

Figura 3.3. Tipo A.3. Fraturas em explosão.

Tipo B – Distracionamento

Decorre da lesão dos elementos anteriores e posteriores por distracionamento

Nesse tipo de fratura o mecanismo de flexão - distracionamento produz a ruptura e alongamento dos elementos posteriores nos grupos B.1 e B.2, enquanto que o de hiperextensão, com ou sem cisalhamento anterior é a responsável pela ruptura e alongamento anterior no grupo B.3.

Nas lesões do grupo B.1 ocorre predominantemente a ruptura através das estruturas disco-ligamentares, enquanto que no grupo B2 a lesão é através dos elementos ósseos posteriores da vértebra A lesão pode se estender até o corpo vertebral por meio de sua compressão, e desse modo as fraturas do tipo A reaparecem nesses dois grupos (B.1 e B.2).

A translação e o deslocamento sagital podem estar presentes nesse tipo de fratura; quando não observado nas radiografias, devemos considerar o potencial desse tipo de deslocamento que essas fraturas apresentam.

A frequência de lesões neurológicas nas fraturas do tipo B é superior à observada no tipo A.

Tipo B – Lesão por Distracionamento

B.1. Lesão posterior ligamentar
    B.1.1. Com ruptura transversa do disco
    B.1.2. Associada fratura tipo A
B.2. Lesão posterior óssea
    B.2.1. Fratura transversa vértebra (Chance)
    B.2.2. Espondilólise com lesão do disco
    B.2.3. Espondilólise com fratura tipo A

B.3. Lesão anterior – hiperextensão
    B.3.1. Hiperextensão – subluxação
    B.3.2. Hiperextensão – espondilólise
    B.3.3. Luxação posterior

Grupo B.1. (Figura 3.4)
Ruptura posterior predominantemente ligamentar

    A principal lesão desse grupo de fraturas é a ruptura do complexo ligamentar posterior associada à subluxação bilateral, luxação ou fratura da faceta articular. Esse tipo de lesão está associada á ruptura transversa do disco intervertebral ou à fratura tipo A do corpo vertebral.

    As lesões puras em flexão - distracionamento são instáveis em flexão, enquanto que as luxações puras são instáveis em flexão e cisalhamento. As fraturas do tipo B1 associadas à fratura do tipo A do corpo vertebral são ainda adicionalmente instáveis à compressão axial.

    O déficit neurológico é frequente e é causado pelo desvio translacional e ou retropulsão de fragmentos do corpo vertebral para o interior do canal.

B.1.1. Lesão posterior predominantemente ligamentar

    Lesão em flexão-distracionamento, associada com ruptura transversa do disco intervertebral.

B.1.1.1. Subluxação em flexão

É uma lesão puramente disco-ligamentar, e um fragmento ósseo pequeno que não afeta a estabilidade da fratura pode estar avulsionado pelo anulo fibroso da parte posterior da placa terminal.

B.1.1.2. Luxação anterior

É uma lesão disco-ligamentar pura com luxação completa da faceta articular e associada com translação anterior e estreitamento do canal.

B.1.1.3. Subluxação em flexão ou Luxação Anterior,

Associada à fratura do processo articular.

Apresenta as características mencionadas para as fraturas B.1.1.1 e B.1.1.2, apresentando alto grau de instabilidade ao cisalhamento no plano sagital devido à fratura da faceta articular.

B.1.2. Lesão posterior predominantemente ligamentar

Lesão em flexão-distracionamento, associada à fratura do tipo A do corpo vertebral.

Essa combinação pode ocorrer se o eixo transverso do momento de flexão ficar situado próximo à parede posterior do corpo vertebral. Desse modo um intenso momento de flexão pode ocasionar a ruptura transversa da coluna posterior e, simultaneamente, a compressão do corpo vertebral, que corresponde às fraturas do tipo A.

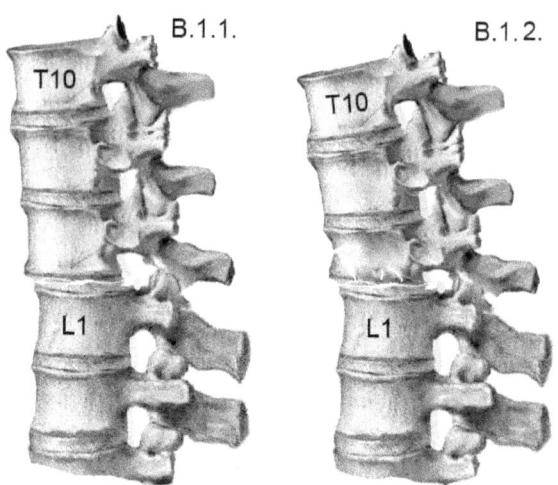

Figura 3.4. Tipo B.1. Lesão posterior ligamentar.

Grupo B.2. (Figura 3.5)

Ruptura posterior predominantemente óssea

O principal critério para o enquadramento das lesões nesse grupo é a ruptura da coluna posterior através da l,mina, pedículo ou istmo.

Como ocorre no grupo B1, essas lesões podem estar associadas com a ruptura transversa do disco intervertebral ou fratura do tipo A.

B.2.1. Fratura transversa da duas colunas

Geralmente ocorre na coluna lombar superior e é instável em flexão. Possui excelente potencial de consolidação, por ser uma lesão puramente óssea.

B.2.2. Ruptura posterior predominantemente óssea com ruptura transversa do disco.

B.2.2.1. Ruptura através do pedículo e disco
Essa é uma rara variante, caracterizada por fratura horizontal através do arco, que estende inferiormente através do pedículo.

B.2.2.2. Ruptura através do pars interarticularis e disco (flexão-espondilólise).

B.2.3. Ruptura posterior predominantemente óssea associada com fratura tipo A do corpo vertebral.

B.2.3.1. Fratura através do pedículo associada com fratura do tipo A. A lesão posterior é a mesma descrita para o tipo B.2.1.

B.2.3.2. Fratura através do istmo associada com fratura do tipo A. A lesão posterior é a mesma descrita para o tipo B.2.2, e a lesão do corpo vertebral geralmente corresponde à variante inferior da fratura do tipo A.

Edema, hematoma subcutâneo, dor acentuada no local da lesão posterior e palpação de espaço entre os processos espinhosos são indicativos de lesão por distração dos elementos posteriores. Deformidade cifótica pode estar presente, e a observação de desnivelamento entre os processos espinhosos indica desvio translacional.

Vários achados radiológicos são típicos das lesões tipo B.1 e B.2 : cifose com aumento significativo da distância entre os processos espinhosos, translação anterior, subluxação bilateral, luxação, fratura bilateral da faceta articular, avulsão da borda posterior do corpo vertebral, pequena fratura por cisalhamento da borda anterior da placa terminal, fratura horizontal ou de outro tipo de elementos posteriores, fratura por avulsão do ligamento supra-espinhoso.

Nas lesões do tipo B.1 e B.2 associadas com fraturas do tipo explosão, o fragmento da parede posterior do corpo vertebral frequentemente está desviado no sentido posterior e cranial. Algumas vezes o fragmento encontra-se rodado até 90 graus ao redor do eixo transversal e sua superfície corresponde à placa terminal fica em contato com o corpo vertebral. Ao contrário das fraturas do tipo A, a borda anterior do fragmento aparece lisa na tomografia computadorizada, enquanto que a borda posterior aparece borrada. Esse fenômeno tem sido denominado de sinal cortical reverso.

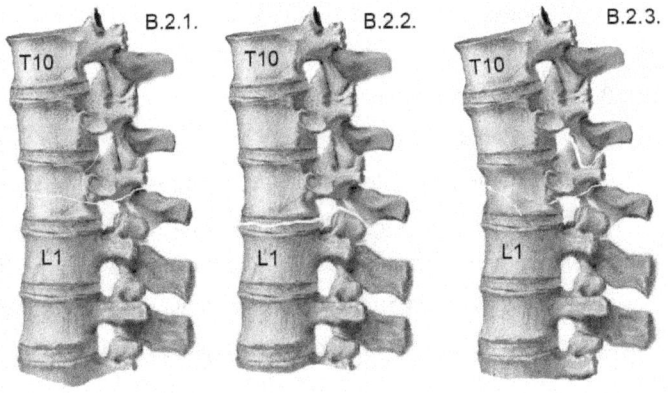

Figura 3.5. Tipo B.2.

Ruptura posterior predominantemente óssea.

Grupo B.3. (Figura 3.6)
Ruptura anterior através do disco

Nas raras lesões em hiperextensão-cisalhamento, a ruptura, que tem origem na parte anterior, pode ficar llmitada à coluna anterior ou estender-se posteriormente. Os cisalhamentos anteroposteriores causam rupturas das duas colunas.

B.3.1. Subluxação em hiperextensão.

Essa é uma lesão disco-ligamentar pura, que reduz espontaneamente e é difícil de ser diagnosticada. A presença de um alargamento do espaço discal, que pode ser observado pela RM, indica a presença dessa lesão.

B.3.2. Hiperextensão-espondilólise.

Ao contrário do que ocorre com a espondilólise em flexão, o diâmetro sagital do canal vertebral é alargado, à medida que o corpo vertebral desloca anteriormente, enquanto a l,mina permanece em seu lugar, não ocorrendo lesão das estruturas nervosas. Os raros casos desse tipo de fratura foram observados na coluna lombar baixa.

B.3.3. Luxação posterior.

Essa é uma das lesões mais graves da coluna lombar e frequentemente está associada com paraplegia completa.

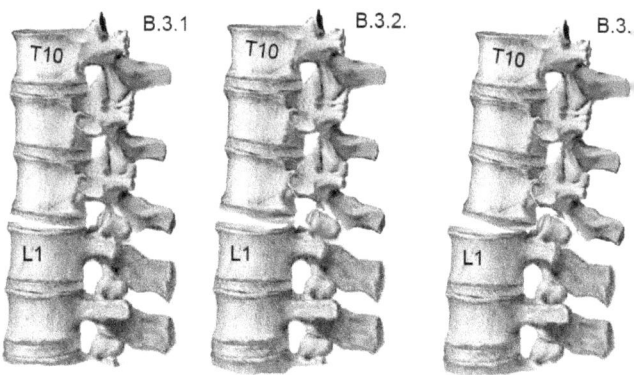

Figura 3.6. Tipo B.3. Ruptura anterior através do disco

Tipo C – Rotação (Figura 3.7)

Lesão dos elementos anteriores e posteriores com rotação.

As fraturas do tipo C são caracterizadas pelo mecanismo de rotação e são divididas em três grupos:

1. fraturas tipo A, associadas com rotação,
2. fraturas do tipo B associadas com rotação,
3. fraturas do tipo cisalhamento-rotação.

Excluindo-se algumas raras exceções, as lesões do tipo C representam as lesões mais graves da coluna torácica e lombar e estão associadas com a maior porcentagem de déficit neurológico.

A lesão das estruturas nervosas é causada pelo deslocamento de fragmentos para o interior do canal vertebral ou pelo esmagamento das estruturas nervosas devido ao desvio translacional.

As características comuns das lesões do tipo C são:

1. lesão das duas colunas,
2. desvio rotacional, potencial para desvio translacional em todas as direções no plano horizontal,
3. lesão de todos os ligamentos longitudinais e disco,
4. fratura do processo articular (geralmente unilateral),
5. fratura do processo transverso,

6. luxação da costela ou fratura próxima à vértebra,
7. avulsão da placa vertebral,
8. fratura irregular do arco neural,
9. fratura assimétrica do corpo vertebral.

Esses achados, que são típicos do torque axial, estão associados com os padrões fundamentais das lesões do tipo A e B, que ainda podem ser identificados, ao lado da rotação, que qualifica o tipo C em si.

Tipo C – Rotação

    C.1. Grupo A + Rotação
        C.1.1. Impactada
        C.1.2. Separação
        C.1.3. Explosão ("blow-out")

    C.2. Grupo B + Rotação
        C.2.1. B.1 + Rotação
        C.2.2. B.2 + Rotação
        C.2.3. B.3 + Rotação

    C.3 - Cisalhamento-rotação
        C.3.1. Fratura tipo "slice"("em fatias")
        C.3.2. Fratura oblíqua

Grupo C.1.

Fraturas do tipo A com rotação (Figura 3.7)

Esse grupo é composto pelas fraturas em cunha, separação (split) ou explosão, que estão associadas à rotação. Nas lesões do tipo A associadas à rotação, uma das partes laterais do corpo vertebral permanece intacta, de modo que o contorno normal do corpo vertebral (vértebra fantasma) pode aparecer na radiografia em perfil juntamente com a fratura.

Grupo C.2.

Fraturas do tipo B com rotação (Figura 3.8)

As lesões mais frequentes do tipo C.2 são as variantes da flexão-subluxação, associadas à rotação. As luxações unilaterais são menos frequentes.

Grupo C.3.

Lesões por cisalhamento e rotação (Figura 3.9)

As fraturas desse grupo são causadas por mecanismos envolvendo rotação e cisalhamento, e elas podem ser identificadas nas radiografias como uma linha de fratura oblíqua através do corpo vertebral. A primeira fratura do subgrupo é a fratura descrita por Holdsworth e denominada de "*slice fracture*", na qual uma cunha óssea está cisalhada próxima da placa terminal. O outro tipo de fratura do subgrupo é identificada por uma fratura oblíqua que se estende de uma borda à outra do corpo vertebral.

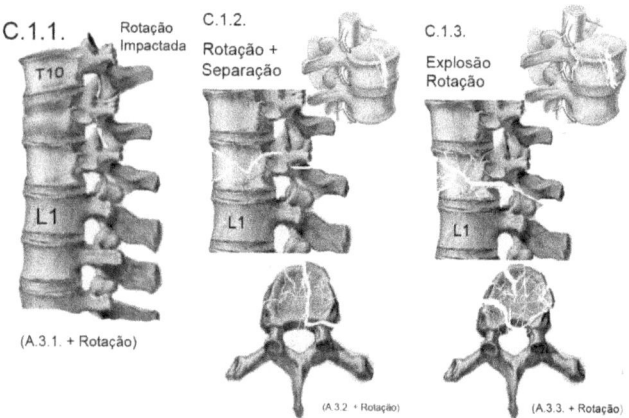

Figura 3.7. Tipo C.1. Fraturas do tipo A com rotação.

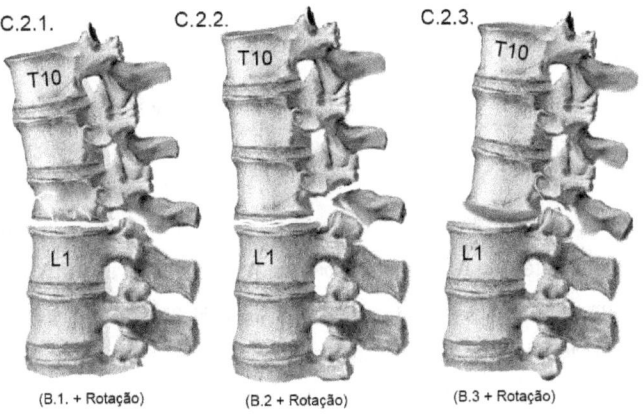

Figura 3.8. Tipo C.2. Fraturas do tipo B com rotação.

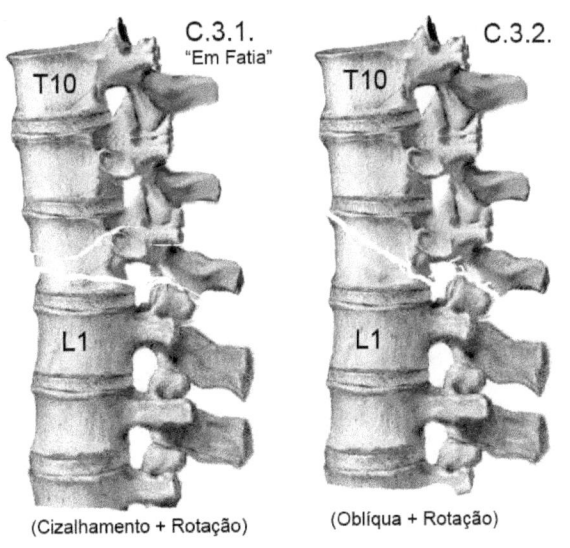

Figura 3.8. Tipo C.3. Em fatia e Oblíqua.

O tratamento preferencialmente é pela via anterior, tóraco-abdominal, com corpectomia e prótese dupla, - gaiola e placa ("cage + z-plate"), - por permitir maior estabilidade, mobilização precoce e efetiva descompressão do canal.

A via posterior, - laminectomia e parafuso pedicular, com haste bilateral e barra bloqueadora, - ou fica reservada para casos específicos, sem lesão do pilar anterior, ou para a complementação, constituindo o acesso combinado, nas lesões mais extensas e com comprometimento dos 3 pilares de Denis.

4. Fraturas do Sacro

Conforme Bellabarba, a classificação prática das fraturas do sacro consiste em 3 grupos principais (Figura 4.1):

4.1. Fraturas da Bacia (Anel Pélvico).
4.2. Disjunção Lombo-Sacral.
4.3. Fraturas do Sacro.

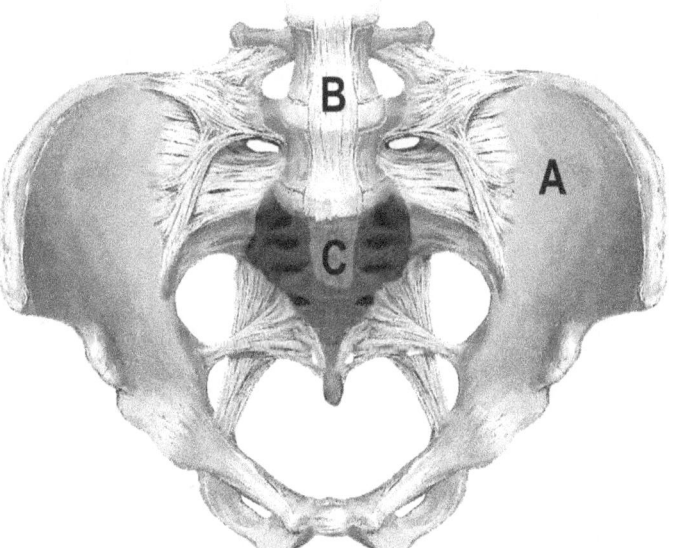

Figura 4.1. Os 3 grupos de locais das lesões sacrais.
A: Bacia (Anel Pélvico) se com lesão do sacro.
B: Coluna Lombar e Sacro
C: Sacro, isoladamente.
Os ligamentos podem ou não estar comprometidos.

4.1. Fraturas da Bacia (Anel Pélvico)

São na verdade os subtipos AO, em que há lesão do osso sacro associada (Bellabarba, Tlie, Letournel, AO/ASIF).

Especificamente, as fraturas de bacia dos tipo C (Figura 4.2).

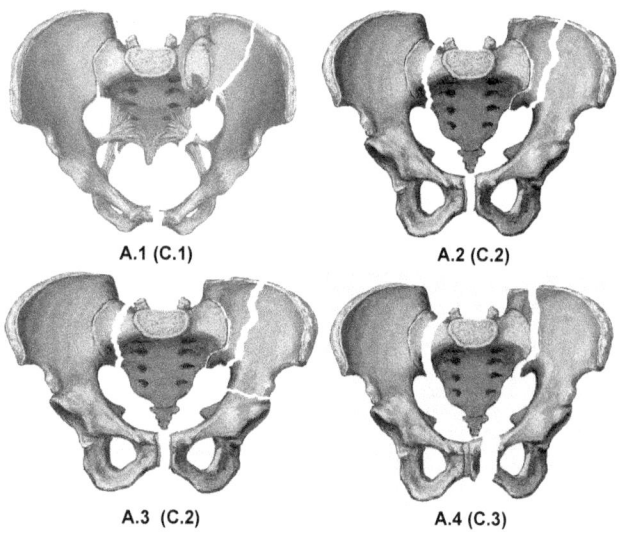

Figura 4.2. Tipo A. Lesão do sacro como parte da lesão do anel pélvico. Entre parênteses, a correspondência da classificação AÔ para as lesões da bacia.
    A.1. Lesão articular sacro-ilíaca.
    A.2. Fratura alar do sacro e do ilíaco.
    A.3. Fratura alar do sacro e dupla do ilíaco.
    A.4. Fratura alar sacral, ilíaco e púbis.

Decorrem de graves traumas, em geral politraumatizados, com risco sequelas e morte, uma vez que as fraturas de bacia podem causar volumosas hemorragias, além de infecções, peritonite, pelas lesões do intestino e/ou da bexiga. Déficits neurológicos possíveis pelas lesões associadas do plexo lombo-sacro, retroperitônio, até avulsão de raiz plexual.

O tratamento é cirúrgico, com redução dos desvios, osteossíntese metálica e imobilização externa da bacia, além das correções das lesões viscerais intracavitárias.

4.2. Disjunção Lombo-Sacral – Tipo B

As disjunções lombo-sacrais foram descritas por Isler, citado por Bellabarba, sendo instáveis pela progressão medial, principalmente nos tipos II e III (Figura 4.2).

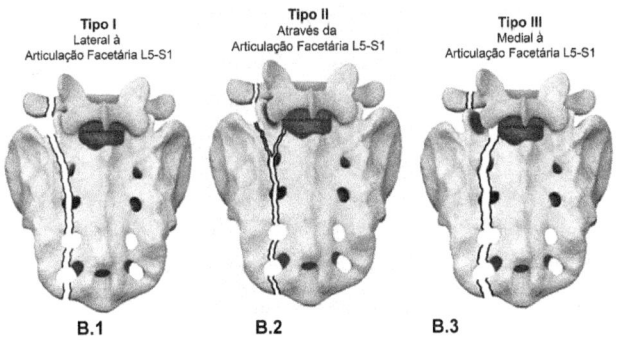

Figura 4.2. Tipo B. Fratura-disjunção lombo-sacral.

Em geral por trauma direto, queda sobre o sacro, ou agressão.

Manifesta-se com dor, hematoma e síndrome radicular e/ou plexual.

O tratamento é cirúrgico, com osteossíntese metálica (placa-parafusos).

Nos tipos II e III, com lesão do istmo, podem haver hérnia discal e instabilidade L5-S1, necessitando associar artrodese desse nível, com prótese e montagem (fixação) em T invertido.

4.3. Fraturas do Sacro – Tipo C

Ocorrem por trauma direto ou queda, em geral com vetor vertical, como naquelas observadas em suicidas, onde o sacro é comprimido, neste eixo, causando compressão, fratura e esmagamento de S1 em diante, no sentido inferior, tendo por pontos de clivagem secundários, os seus forames.

Denis subdividiu as fraturas do sacro em três tipos, de acordo com a zona de fratura (Figura 4.3), sendo o tipo 3 ainda comportando a subdivisão de Roy-Camille e Strange-Vognsen (Figura 4.4).

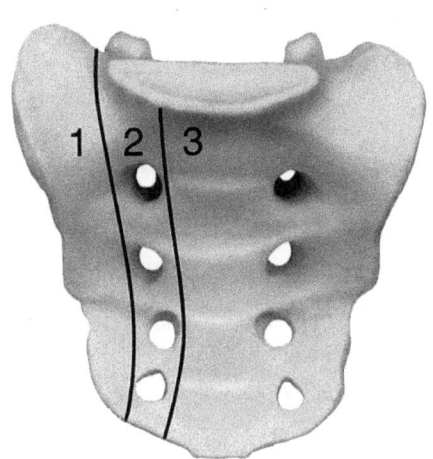

Figura 4.3. Zonas de fratura do sacro (Denis).

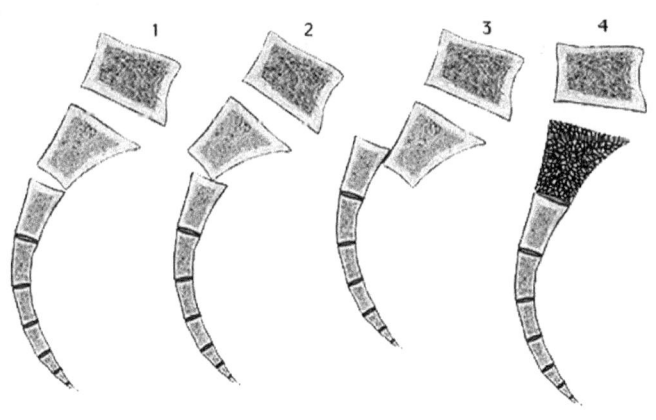

Figura 4.4.
Subtipos de Denis 3 (Roy-Camille e Strange-Vognsen)

Assim, o Grupo C de fraturas do sacro comporta a seguinte sistematização:

C.1. Laterais
C.2 Intermediárias
C.3. Centrais (Suicidas, seg. Roy-Camille)
C.3.1. Cifose s/ ou c/ mínima translação, anterior
C.3.2. Cifose com translação incompleta, posterior
C.3.3. Cifose com translação completa, anterior
C.3.4. Os tipos acima, c/ cominução superior do sacro.

Segundo ainda Bellabarba, foram descritos e apresentados os 4 tipos alfabéticos de traços de fratura: H, U, T e λ (Lambda), de uso corrente na prática, apesar de não se tratar de uma classificação oficial (Figura 4.5).

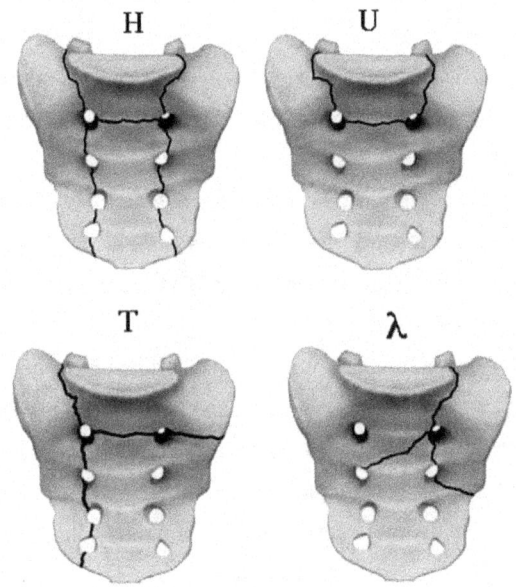

Figura 4.5. Classificação "Alfabética" das fraturas do sacro.

Enquanto em que nas laterais e intermediárias há predomínio da lesão neurológica (raízes e plexo), com desnervação das estruturas dependentes, as lesões centrais, com desvios, comportam lesões viscerais intrapélvicas, diretamente, tais como reto, sigmoide, vasos ilíacos, bexiga, além da frequente lesão da cauda equina.

Deve-se observar que as lesões do tipo C,3.3 são as que mais comportam comprometimentos das estruturas intrapélvicas, enquanto que as do tipo C3.4 em geral causam paraplegia dolorosa.

Comprometimento motor, bexiga neurogênica flácida, impotência sexual, incontinência esfincteriana são sequelas esperadas.

Vale lembrar que a fratura-luxação por si só não é a única causadora desses quadros, mas o hematoma decorrente, fibrose, aderências tardias concorrem para a maior morbidade.

Rupturas meníngeas associadas, não só estão correlacionadas às fraturas expostas, mas a sua associação, estabelecendo solução de continuidade com a escavação pélvica, - onde coexistam lesões viscerais, - podem favorecer a instalação de meningite, pela contaminação urinaria e/ou fecal, mesmo nas fraturas fechadas.

As lesões vasculares mais graves ocorrem com fragmentos ósseos cominativos ou simplesmente a borda cortante de uma fratura linear luxada. Tanto das artérias ilíacas primitivas como até ruptura ou laceração da artéria sacral media, causando grave hemorragia, constituem emergências cirúrgicas multidisciplinares.

De qualquer forma, o tratamento das lesões sacrais dos tipos C.3.3 e C3.4 é cirúrgico, constituindo-se em descompressão, esquirulectomia e osteossíntese, com redução-estabilização mediante fixação metálica.

5. Fraturas do Cóccix

Mais conhecidas como cocidinia, pela dor que o trauma causa, em geral queda sentado, com duas queixas principais: dor loco-regional e possível constipação pela compressão do reto.

Em raros caso, em traumas mais violentos, pode haver perfuração da parede posterior do reto, seja pela ponta do cóccix em luxação anterior, bem como por fragmento de fratura, quando cominutiva.

É importante o conhecimento da anatomia local, para a compreensão do problema, dada a proximidade das estruturas dentro da cavidade pélvica, no caso, na região póstero-inferior (Figuras 5.1 e 5.2).

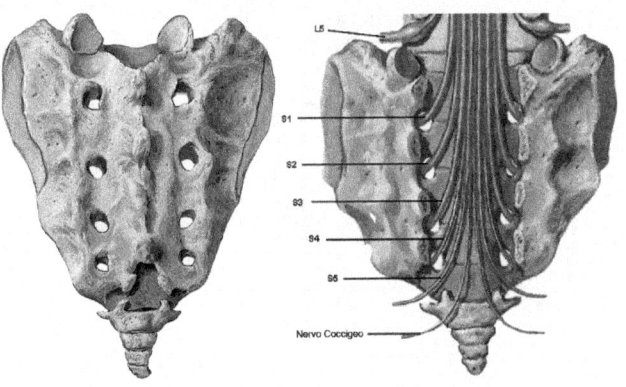

Figura 5.1. Ilustração esquemática da emergência radicular e do nervo coccígeo.

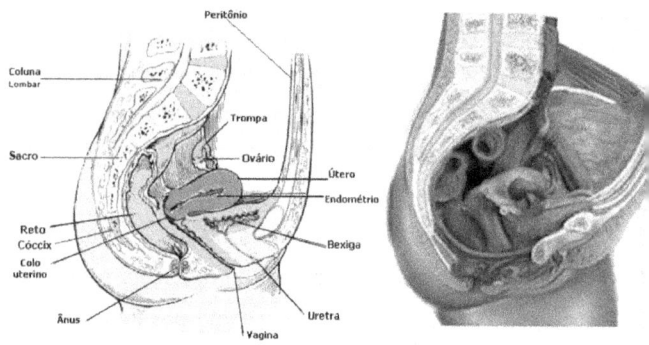

Figura 5.2. Ilustração esquemática da escavação pélvica.

Existem três tipos principais de fraturas coccígeas (Figura 5.3):

        5.1. Tipo A - Fratura Apical
        5.2. Tipo B - Fratura Cominutiva
        5.3. Tipo C - Fratura-luxação sacrococcígea
                (Disjunção Sacrococcígea)

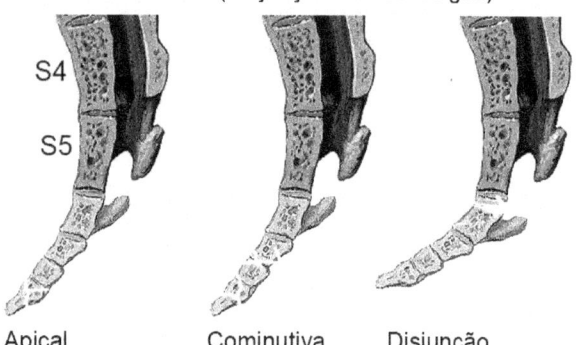

Apical   Cominutiva   Disjunção

Figura 5.3. Fraturas do Cóccix. Tipos I, II e III.

As fraturas do Tipo C, com luxação anterior do cóccix e disjunção sacrococcígea, podem ainda ser subdivididas em 3 subtipos (Figura 5.4):

C.1. Disjunção Incompleta
C.2. Disjunção Completa
C.3. Disjunção Complexa

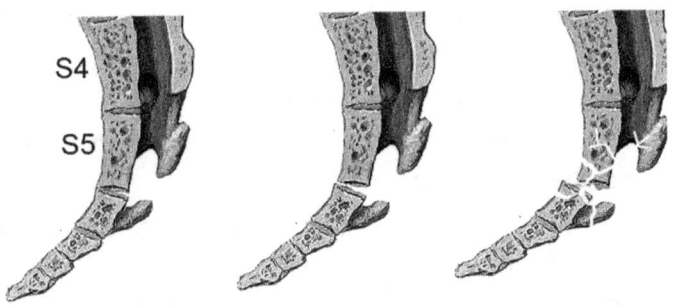

C.1. Incompleta   C.2. Completa   C.3. Complexa

Figura 5.4. Fraturas do Cóccix. Tipo C

Segundo Doerr, além dos cuidados domiciliares, - protetores de assento, não sentar sobre o cóccix por 4 a 6 semanas, gelo local – o alívio da dor é o principal objetivo do tratamento e raramente é necessária a cirurgia (retirada do cóccix, a cocigectomia).

A dor óssea inicial, típica de fraturas e hematomas locais, pode dar lugar a uma cocidinia propriamente dita, a nevralgia do nervo coccígeo. Este nervo é em geral traumatizado no hiato coccígeo, entre os cornos sacrais e coccígeos, o ponto de menor resistência e espessura, mais exposto, onde são mais frequentes as fraturas do Tipo C.

Nestes casos, de nevralgia coccígea, o paciente não só se queixa de dor, mas pode apresentar constipação, pois o esforço de evacuar gera incremento da dor, inibindo a excreção. Por isto, laxativos podem ou devem ser associados.

As Infiltrações no hiato coccígeo, anestesia local, com ou sem corticosteroides, podem ser necessárias, até mais de uma sessão, para a nevralgia seqüelar persistente, quando foi ineficaz o uso de anti-inflamatórios não hormonais e analgésicos via oral.

Raramente a coccigectomia é feita, exceto naqueles casos de grandes desvios e/ou angulações anteriores, a hipercifose sacrococcígea, com compressão do reto.

Deve-se lembrar que as fraturas do cóccix também podem estar associadas àquelas do sacro e até da coluna lombar, em politraumatizados por quedas de alturas pelo menos duas vezes além da própria do paciente e em pacientes com osteopenia ou osteoporose.

Na apresentação completa da disjunção sacrococcígea o principal achado é a acentuação do ângulo do cóccix, para adiante, comprimindo o reto. Isto pode ser confirmado pelo exame do paciente, pelo toque retal, além do sempre indicado estudo radiológico nos casos de suspeição de fratura coccígea.

Deve sempre ser feito o estudo pela radiografia simples em perfil, bem como a TC e até a RM, em caso de suspeição de lesão intracavitária (toque retal além de revelar o desvio do cóccix, ser sanguinolento).

Dada a força da musculatura local, não mais se faz a redução por toque retal, pelos riscos existentes (hemorragia, fístulas, ruptura do reto com penetração de fragmento de fratura no canal retal).

Em última opção, nesses casos mais graves, a coccigectomia poderá ser realizada, apesar de não mais ser prática terapêutica frequente e nem a primeira escolha.

Referências Bibliográficas

1. ADAMS, C. Traumatismos da coluna vertebral. *in* **Manual de Fraturas**. Ed. Artes Médicas 1980 pp. 84 -110.
2. ARNOLD, P. M. Surgery in Spinal Trauma. Disponível em <http://www.aospine.org/files/news/AOSpine_41_1.pdf>. Acesso em 10 de novembro de 2007.
3. AVANZI, O. et al. Fraturas da coluna vertebral em crianças: estudo de 38 casos. Rev. Bras. Ortop. 30: 105-11, 1993.
4. Barros Filho, T. E. P. et al. Fraturas do côndilo occipital Análise de três casos.
   Disponível em:
   <http://www.rbo.org.br/materia.asp?mt=1319&idIdioma=1>.
   Acesso em 22 de outubro de 2007.
5. BELLABARBA, C. Sacral Fractures. Disponível em <http://www.hwbf.org/ota/bfc/bella1/bella1.htm>. Acesso em 03 de novembro de 2007.
6. BOHLMON, H.; DUCKER, T.; LUCAS, J. Spine and Spinal Cord Injuries. *in* **The Spine.** Rothman, R. H.. Simeone, F. A. 2nd Ed. W.B. Saunders Company. Philadelphia. USA, 1992. pp. 661-756.
7. Bono, C. M. et al. Measurement Techniques for Upper Cervical Spine Injuries: Consensus Statement of the Spine Trauma Study Group. Spine. 32(5): 593-600, 2007.
8. Carneiro Filho, G. S. et al. Fratura condilar occipital bilateral - Relato de caso. Arq. Bras. Neurocir. 22(3-4): 102-105, 2003.
9. DELFINO, H. L. <u>Lesões Traumáticas da Coluna Vertebral. FMRP – USP</u>. Disponível em <http://www.fmrp.usp.br/ral/trauma_c.htm>. Acesso em 22 de

outubro de 2007.
10. DOERR, S. E. Tailbone (Coccyx) Injury. Disponível em <http://www.emedicinehealth.com/tailbone_coccyx_injury/page1 2_em.htm>. Acesso em 29 de outubro de 2007.
11. EDEIKEN, J.: **Diagnóstico radiológico de las enfermedades de los huesos**. 3ª ed, Panamericana, Buenos Aires, ARG. 1977.
12. EMR, M. A. Spinal Cord Injury: Emerging Concepts. Disponível em <http://www.ninds.nih.gov/health_and_medical/pubs/sci_report.htm> Acesso em 08 agosto 2004.
13. Fellrath RF, JR, Hanley EM, JR: Multitrauma and thoracolumbar fractures. Semin Spine Surg, 7:103-108, 1995.
14. FOGEL, G. R. Coccygodynia: Evaluation and Management. J Am Acad Orthop Surg, 12 (1): 49 - 54, 2004.
15. Fourniols, E. et al. Fractures of the Odontoid. Disponível em <http://www.maitrise-orthop.com/viewPage.do?id=50>. Acesso em 23 de outrubro de 2007.
16. Gehrig, R. & Michaelis, L. S. Statistics of acute paraplegia and tetraplegia on a national scale Switzerland, Paraplegia 6: 66-69, 1968.
17. Gertzbein,S.D. Scoliosis Research Society. Multicenter spine fracture study. Spine, 17(5): 528-540, 1995.
18. GREENBERG, M. S. Lesões espinhais. *in* **Manual de Neurocirurgia**. Ed Artmed, pp. 665-704.
19. Gupta, N. Injuries of the Upper Cervical Spine. Disponível em <http://www.ucsf.edu/nreview/07.3-Spine-Traumatic/CSpineInjury-Upper.html>. Acesso em 23 de outubro de 2007.
20. Gusmão, S. S. et al. Tratamento cirúrgico da fratura do côndilo

occipital - Relato de Caso. Arq. Neuro-Psiquiatr.59 (1): 134 - 137. 2001.
21. Hensinger, R.N. "Fraturas da coluna torácica e lombar", in Rockwood Jr., C. A. et al. Fraturas em crianças, São Paulo, Manole, 1993. Cap.8, p. 935-966.
22. KRUSEN, Lesões Traumáticas e Congênitas da Medula Espinhal. *in* **Tratado de Medicina Física e Reabilitação**. Editora Manole 3ª Ed 1986, p 667-693.
23. HERBERT, S..; XAVIER, R. Coluna Toracica e Lombar. *in* **Ortopedia e Traumatologia**. Ed Artmed 2ª Edição, pp. 66-69.
24. Joseph M. Aulino, J. M. et al. Occipital condyle fractures: clinical presentation and imaging findings in 76 patients. Emergency Radiology 11: 342–347, 2005.
25. JUHL, P. H., CRUMMY, A. B.; KUHLMAN, J. E. A Medula Espinhal e a Coluna Vertebral. *in* **Interpretação Radiológica**. 7ª Edição. Ed.Guanabara Koogan. 1998. pp. 400.
26. Kaneda, K, Aburni,K, Fujiva M. Burst fractures with neurologic deficit of thoracolumbar spine. Spine, 9: 788-95, 1984.
27. LEVI-MONTALCINI, R.: COHEN, S. La Medicina del siglo XX. 1986. El Nobel del año. Disponível em <http://www.diariomedico.com/medicinasiglo/nobel1986.html> Acesso em 08 agosto 2004.
28. Levine, A. M. Facet fractures and dislocations of toracolumbar spine. Spine Trauma. 415-427, 1998.
29. LICINA, P. & NOWITZKE, A. M. Approach and considerations regarding the patient with spinal injury. Disponível em <http://ww.aospine.org>. Acesso em 16 de outubro de 2007.
30. Limb, D, Shaw D.L, Dickson R.A. Neurological injury in thoracolumbar burst fractures. J Bone Joint Surg, 77(B): 774-

777, 1995.
31. LYONS, A. S.; PETRUCELLI, R. J. **Medicine – An Illustrated History**. Harry N. Abrams Inc. Publishers. NYC . USA. 1987.pp.599-601.
32. Margerl F, Aebi M, Gertzbein SD, Harms J, Nazarian S. A comprehensive classification of thoracic and lumbar injuries. Eur. Spine J. 3(4):184-201, 1994.
33. Montesano,P.X. & Benson, D.R.: "Fraturas e luxações da coluna vertebral", in Rockwood Jr., C.A. et al.: Fraturas em adultos, São Paulo, Manole, 1993. Cap.16, p. 1332-1370.
34. MOORE, K. L. O dorso. **Anatomia**. Ed. Guanabara Koogan 3" Edição pp.287-321.
35. MOORE, K, L **Embriologia Básica**. Ed. Interamericana. RJ. BR. 1976 pp 46-49.
36. MORAES, L. Fratura por estresse em atletas: Resisão de literatura. Disponível em: <http://www.hse.rj.saude.gov.br/profissional/revista/35/fratu.asp> . Acesso em 25 de outubro de 2007.
37. Mudo, M. L. "Trauma Raquimedular Lombar", in Braga, F.M & Melo P.P.: Guias de Medicina Ambulatorial e Hospitalar-Neurocirurgia, São Paulo, BR. Editora Manole, 2005. Cap. 59, p. 533-547.
38. Netter, F. Interactive Atlas of Human Body. Ciba Collection. 1992.
39. Nicoll, E.A.: Fractures of the dorso-lumbar spine. J. Bone Joint Surg. 31: 376-394, 1949.
40. NOVAES, M. H. Conflitos Afetivo-sexuais dos Paraplégicos. **Psicologia Aplicada à Reabilitação**. Ed. Imaro RJ, pp. 95-102.
41. NUNLEY, J. A. Duke Orthopaedics Wheeless' Textbook of

Orthopaedics. Classification. Disponível em: <http://wheelessonline.com/ortho/classification_1>. Acesso em 28 de outubro de 2007.

42. NUNLEY, J. A. Duke Orthopaedics Wheeless' Textbook of Orthopaedics. Sacrum and Sacral Fractures. Disponível em <http://wheelessonline.com/ortho/sacrum_and_sacral_fractures>. Acesso em 28 de outubro de 2007.

43. OCHOA, G. Basic concepts relevant to the design and development of the Point Contact Fixator (PC-Fix). Surgical management of odontoid fractures. Disponível em <http://www.aospine.org/files/news/AOSpine_41_7.pdf>. Acesso em 10 de novembro de 2007.

44. Puertas,E.B. et al. Fraturas da coluna vertebral na região tóraco-lombar: estudo de 36 pacientes. Rev. Bras. Ortop. 26: 196-200, 1991.

45. RANSOHOFF, J. Injuries of the Cervical Cord. *in* **The Cervical Spine**. J. B. Lippincott Co., Philadelphia. USA. 1983. pp. 288-297.

46. Rohen, J. W. Color Atlas of Anatomy. Eletronic Editin (4th Ed.) Williams & Wilkins. 1999.

47. SKINNER, H. B.: Current. Diagnosis & treament in orthopedics. 2ª Ed, Lange, New York, USA. 2000.

48. Solino, J. L. et al. Traumatismos da coluna vertebral. Avaliação da etiologia, incidência e frequência. Rev. Bras. Ortop. 25:185-190, 1990.

49. Spivak, J. M., Vaccaro A.R. , Cotler J.M. Thoracolumbar spine trauma: I. Evaluation and Classification. J. Am. Acad. Orthop. Surg. 3: 345-352, 1995.

50. Spivak J. M., Vaccaro A. R., Cotler JM. Thoracolumbar spine

trauma: II. Principles of management. J. Am. Acad. Orthop. Surg. 3: 353-360, 1995.

51. STAUFFER, E. S. Rehabilitation of the Spinal Cord-Injured Patient. *in* The Spine. Rothman, R. H.. Simeone, F. A. 2nd Ed. W.B. Saunders Company. Philadelphia. USA, 1992. pp. 1118-1131.

52. Truumees, E. Os Odontoideum. Disponível em <http://www.emedicine.com/orthoped/topic424.htm>. Acesso em 23 de outubro de 2007.

53. VEERLAAN, J. J. Basic concepts relevant to the design and development of The role of 3-D rotational x-ray imaging in spinal trauma. Disponível em <http://www.aospine.org/files/news/AOSpine_41_90011.pdf>. Acesso em 10 de novembro de 2007.

54. White, A. A., Panjabi, M. M. Clinical biomechanics of the spine. J.B Lippincott Company, Second Edition. Philadelphia, 1990: 302-327.

55. WOLF-HEIDEGGER, G. Atlas de Anatomia Humana. Vol. III. 3ra Ed. Guanabara Koogan. RJ, BR. 1978 pp. 3

56. WINN, H.R. Youmans Neurological Surgery. 5th Ed. WB Saunders Company N.Y.C. USA. 2003.

57. Zardo, E. & Surmay, M. J. M.: "Lesões da coluna vertebral", in Hebert, S. & Xavier, R.: Ortopedia e traumatologia - Princípios e prática, Porto Alegre, BR. Editora Artes Médicas, 1995. Cap.26, p. 384-401.

58. _____. Coccyx Fracture (Tailbone Fracture - Broken Tailbone). Al-Hikmah Health Education. Disponível em <http://www.al-hikmah.org/coccyx-fracture.htm>. Acesso em 29 de outubro de 2007.

www.ingramcontent.com/pod-product-compliance
Lightning Source LLC
Chambersburg PA
CBHW070427180526
45158CB00017B/910